D1498690

DEMON SLAYER
KIMETSU NO YAIBA

13

KOYOHARU GOTOUGE

Tanjiro Kamado

Jeune homme au grand cœur, il a juré de rendre son humanité à sa petite sœur et de venger la mort de ses proches. Il dispose d'un odorat exceptionnel qui lui permet de littéralement sentir le point faible de ses adversaires.

Nezuko Kamado

Jeune sœur de Tanjiro. Elle a été transformée en démon lors de l'attaque qui a décimé sa famille. Contrairement aux autres monstres, elle fait tout pour protéger son frère, au lieu de chercher à le dévorer.

Introduction

Tanjiro, un jeune marchand de charbon, mène une existence paisible jusqu'au jour funeste où il découvre que son village a été décimé – à l'exception de sa jeune sœur **Nezuko**, métamorphosée en démon... Décidé à se venger, Tanjiro part à la recherche du responsable : **Muzan Kibutsuji**. Comprenant qu'il a besoin de devenir plus fort, Tanjiro intègre les rangs des pourfendeurs de démons. Au cours d'une mission, il fait la rencontre de **Tamayo** et **Yushiro**, deux démons bienfaisants, qui lui offrent des informations sur la manière de rendre à Nezuko son humanité. Lorsque le jeune homme doit se procurer une nouvelle arme, il se rend au village caché des forgeurs de sabres. Mais peu après son arrivée, deux lunes supérieures attaquent le village sur ordre de Kibutsuji : **Hantengu**, la quatrième lune supérieure, et **Gyokko**, la cinquième. Tanjiro fait face aux démons avec l'aide de **Genya** et **Tokito**, le pilier de la brume...

Haganezuka

Forgeron en charge du sabre du soleil de Tanjiro. Artisan zélé et fier de son métier, il entre dans une colère noire quand on ne prend pas soin de son œuvre.

Inosuke Hashibira

Pourfendeur issu de la même promotion que Tanjiro. Coiffé d'une hure de sanglier, il est constamment en quête de nouveaux adversaires.

Zenitsu Agatsuma

Pourfendeur issu de la même promotion que Tanjiro. Peureux, il ne dévoile toute l'étendue de ses talents que lorsqu'il s'évanouit.

Muichiro Tokito

Le pilier de la brume des pourfendeurs de démons. Il est le descendant d'un adepte du "souffle originel" : le souffle du soleil.

Genya Shinazugawa

Pourfendeur issu de la même promotion que Tanjiro. Son frère aîné est Sanemi, le pilier du vent. Il retrouve Tanjiro au village des forgeurs.

Kotetsu

Jeune garçon du village des forgeurs. Il aide Tanjiro à s'entraîner avec l'aide de l'automate de combat créé par ses ancêtres : Yoriichi modèle zéro.

Cinquième lune supérieure : Gyokko

Il a attaqué le village des forgeurs avec Hantengu dans le but d'affaiblir les pourfendeurs de démons.

Quatrième lune supérieure : Hantengu

Sur ordre de Muzan Kibutsuji, il a infiltré le village des forgeurs avec Gyokko.

Mitsuri Kanroji

Le pilier de l'amour des pourfendeurs de démons. Elle les a rejoints dans l'espoir de trouver l'âme sœur parmi eux.

Sommaire

Chapitre 107 - Poids mort
5

Chapitre 108 - Merci, Tokito !
25

Chapitre 109 - Jamais mort
45

Chapitre 110 - Le secret dans la cabane
65

Chapitre 111 - Des airs d'artiste
85

Chapitre 112 - Transitions
107

Chapitre 113 - Sabre écarlate
131

Chapitre 114 - Besoin de reconnaissance
151

Chapitre 115 - Devenir un pilier
171

Chapitre **107** Poids mort

CE DÉMON-CI PEUT VOLER !! ILS ONT TOUS LES QUATRE DES CAPACITÉS DIFFÉRENTES.

VA AIDER GEN...

NEZUKO, NE T'OCCUPE PAS DE MOI !

TU ES SI FAIBLE QUE C'EN EST TRISTE.

*ŒIL DROIT : LUNE SUPÉRIEURE, ŒIL GAUCHE : 4E

*ŒIL DROIT : LUNE SUPÉRIEURE, ŒIL GAUCHE : 4ᵉ **JOIE

ZASH
ZASH

!

J'AI ÉTÉ
EXPÉDIÉ
TRÈS
LOIN.

JE
DOIS VITE
RETOURNER
LÀ-BAS !

*HOMME DU FEU

UN
ENFANT
...

SON SA-
VOIR-FAIRE
DE FORGEUR
DE SABRES
DOIT ÊTRE
ENCORE TRÈS
LIMITÉ.

UN
DÉMON
ET UN
ENFANT.

SAUVER
SA VIE
N'EST
PAS UNE
PRIORITÉ.

GOP !

GOP !

LE VRAI VISAGE
DE KOTETSU

SON VISAGE
RESSEMBLE TELLEMENT
À SON MASQUE QU'ON
LUI DEMANDE SOUVENT
S'IL EN A VRAIMENT
BESOIN.

Chapitre ⟨108⟩

Merci, Tokito !

SLASH

GOP

PLISH

GOP

ヒチ

GOP

ヒチ

PLISH

PLOC

GOP

CRAC

GOP

MÊME SI JE COUPE CE QUI RESSEMBLE À SA TÊTE, SON CORPS NE TOMBE PAS EN POUSSIÈRE, MAIS IL SE RÉGÉNÈRE.

BLOUB

ALORS...

CRRRAC

PLOP

TAP

FLAP

!!

IL TIRAIT
SA FORCE DE LA
JARRE... J'AVAIS
VU JUSTE, C'ÉTAIT
BIEN LE POUVOIR
SANGUINAIRE D'UN
DÉMON.

ATTENDEZ !! KANAMORI A ÉTÉ ATTAQUÉ AUSSI !

JE DOIS Y ALLER. FAIS CE QUE TU VEUX, MAINTENANT !

JE N'AI PAS DE TEMPS À PERDRE !

...

S'IL S'ARRÊTE NE SERAIT-CE QU'UNE SECONDE, TOUT SERA FICHU. JE VOUS EN PRIE...!!

HAGANEZUKA AFFÛTE UN SABRE SANS INTERRUPTION NI REPOS...

NON, JE...

FLOP

JE VOUS EN PRIE, AIDEZ-LE !

SNIF

SNIF

... MUICHIRO.

JE SAIS QU'UN JOUR, TU RETROUVERAS QUI TU ES VRAIMENT...

LA PUIS-SANCE DE SES AT-TAQUES...

...BAISSE !!

...SONT CONSIDÉRÉS COMME LES ÉMOTIONS

J'AI L'IMPRES-SION...

*NDT : "KI-DO-AI-RAKU", JOIE-COLÈRE-CHAGRIN-PLAISIR, PRIMAIRES AU JAPON.

LES CARACTÈRES QUE J'AI APERÇUS DANS SA BOUCHE SONT CEUX DES ÉMOTIONS PRIMAIRES*...

S'IL SE DIVISE AU-DELÀ DE CE NOMBRE...

C'EST LORSQU'IL EST DIVISÉ EN QUATRE QU'IL EST LE PLUS FORT ?

...QUE LE NOMBRE DE DIVISIONS QUI LUI PERMET D'ACCROÎTRE SA PUISSANCE N'EST PAS ILLIMITÉ.

**PLAISIR ***JOIE

BASH

...IL S'AFFAIBLIT !

ELLES SONT ASSEZ PUISSANTES POUR BRISER DES DIAMANTS.

LEUR VITESSE, LEUR TRANCHANT !!

QUE PENSES-TU DE MES SERRES ?

MONTRE-MOI PLUS DE JOYEUSES ÉCLABOUS-SURES DE SANG !!

TREMBLE DE PEUR !

PAREIL POUR TOI !

• ŒIL DROIT : LUNE SUPÉRIEURE, ŒIL GAUCHE : 4ᵉ

GRRR

GRRR

`GRRR

KÂ ! KÂ ! KÂ ! COURAGE, JEUNE FILLE ! TU Y ES PRESQUE !

*ŒIL DROIT : LUNE SUPÉRIEURE, ŒIL GAUCHE : 4ᵉ, LANGUE : PLAISIR

ALORS, QU'EST-CE QUE TU ATTENDS ?

KÂ ! KÂ ! KÂ !

AIZETSU ET TOI, SEKIDO, ALLEZ VOIR AILLEURS SI J'Y SUIS !!

PAS TOUCHE ! CETTE FILLE EST À MOI !!

ÇA COM-MENCE À VRAIMENT M'ÉNER-VER.

DÉPÊCHE-TOI DE LA METTRE EN PIÈCES.

HIMEJIMA QUI SOUFFLE

HIMEJIMA, PILIER DU ROCHER. 27 ANS. SIGNE ASTROLOGIQUE : LA VIERGE. PASSE-TEMPS : SHAKUHACHI*.

...

IL LUI EST DÉJA ARRIVÉ D'EN JOUER SI LONGTEMPS QUE SA GRAND-MÈRE A FINI PAR LUI DONNER DES COUPS DE BALAI.

SHAKUHACHI (FLÛTE) →

**"Ô, BOUDDHA AMITABHA, J'IMPLORE TA MISÉRICORDE"
*NDT : FLÛTE EN BAMBOU À CINQ TROUS

Chapitre 109 Jamais mort

MAIS À PRÉSENT, TU DEVRAIS POUVOIR MOURIR... MH ?

···

プ"

プ"
GRMM

プ"
GRMM

プ"
GRMM

···

C'EST LE FAIT QUE LA LANCE SOIT RESTÉE PLANTÉE DANS TON VENTRE QUI T'A EMPÊCHÉ DE MOURIR ?

DIRE QUE J'AVAIS VISÉ UN POINT VITAL POUR QUE TU PUISSES MOURIR RAPIDEMENT...

...AU PARC JETA, DANS LE MONASTÈRE D'ANATHAPINDIKA...

...À SAVATTHI...

...AVEC UNE GRANDE ASSEMBLÉE DE MILLE DEUX CENT CINQUANTE BHIKSUS...

*NDT : PETIT SÛTRA DE SUKHÂVATI OU SUKHÂVATÎVYÛHA SÛTRA, UN DES PRINCIPAUX SÛTRAS DU BOUDDHISME MAHÂYÂNA.

QUELLE DÉVOTION !

···

QUOI ? C'EST LE SÛTRA D'AMITÂBHA* ?

BON SANG, MAIS IL EST ENCORE EN VIE !

FENDS-LUI LE CRÂNE, AIZETSU !!

*ŒIL DROIT : LUNE SUPÉRIEURE, ŒIL GAUCHE : 4ᵉ, LANGUE : COLÈRE

WHOOSH

... ÇA ME REND TRISTE !

JE SAIS, ARRÊTE DE ME CRIER DESSUS TOUT LE TEMPS...

DOOM

OH, NON !! IMPOSSIBLE D'ÉVITER SA FOUDRE !

AKKH !

DOOM

CETTE POURRITURE AVEC SON KHAKKHA-RA* !

*NDT : BÂTON DE PÈLERIN UTILISÉ PAR LES MOINES BOUDDHISTES. LA PARTIE SUPÉRIEURE EST UN SISTRE, SES ANNEAUX TINTENT EN S'ENTRECHOQUANT. "SHAKUJÔ" EN JAPONAIS.

BANG

C'EST QUOI, CET HUMAIN ? POURQUOI IL NE MEURT PAS ?

AIZETSU LUI A POURTANT PORTÉ UN COUP MOR-TEL...

SKRRII

SA VITESSE
A AUGMENTÉ.
BON SANG,
JE VOUDRAIS
RETOURNER
LÀ-BAS LE
PLUS VITE
POSSIBLE
...!!

UH...!!

SLASH

JE SAIS !! SI JE NE PEUX PAS LE VAINCRE ICI ET MAINTENANT...

LE BÂTIMENT OÙ ILS SE TROUVENT EST JUSTE À CÔTÉ...!! COMMENT FAIRE ? RÉFLÉCHIS !!

NE TE LAISSE PAS ENVAHIR PAR LE DOUTE !!

JE NE SAIS PAS, JE NE SAIS PAS...

NON, JE RISQUE DE FAIRE EMPIRER LA SITUATION...

DE TOUTE FAÇON, IL FAUT TENTER LE COUP.

GWIP

GWIP

NE MOUREZ PAS !! JE VOUS REJOINS BIENTÔT !

GENYA !

NEZUKO !!

PARMI EUX, LE SAGE SARIPUTRA...

... CONNUS DE L'ASSEMBLÉE.

TOUS ÉTAIENT DE GRANDS ARHATS...

PUBLIÉ DANS
WEEKLY SHONEN JUMP 36-37, 2018

PUBLIÉ DANS
WEEKLY SHONEN JUMP 33, 2018

Chapitre **110**

Le secret dans la cabane

ZAM

ONG ZOOO

FLOP.

KIIII...

KANAMORI !!

VOUS L'AVEZ TUÉ EN UN BATTEMENT DE CILS.

OOOH !

MESSIRE TOKITO, COMME JE VOUS SUIS RECONNAISSANT !

MON SABRE EST PRÊT ? DONNEZ-LE-MOI VITE !

VOUS ÊTES KANAMORI ?

PAF

POUR ÊTRE HONNÊTE, JE PENSAIS QUE TU ÉTAIS DÉJÀ MORT.

JEUNE KOTETSU !! JE SUIS HEUREUX QUE TU N'AIES RIEN.

JE VOIS, JE VOIS !

OOOH !

JE VAIS VOUS DONNER VOTRE SABRE.

C'EST BIEN POUR ÇA QUE JE SUIS VENU AU VILLAGE.

LA LAME EST HORRIBLEMENT ÉMOUSSÉE !

... ET D'ESSAYER DE VOUS COMPRENDRE.

TANJIRO M'AVAIT DEMANDÉ...

... DE M'OCCUPER DE VOTRE SABRE...

C'EST UNE CHANCE, VOUS POUVEZ LUI DIRE MERCI.

...

VOUS COMPRENEZ VITE.

HAGANE-ZUKA !!

AH ! MAIS AU FAIT...

C'EST POUR ÇA QUE J'AI VÉRIFIÉ QUI ÉTAIT LE PREMIER FORGEUR EN CHARGE DE VOTRE...

TANJIRO A...

TANJIRO.

IL TRAVAILLE DANS CETTE CABANE.

LE MONSTRE POISSON N'EST PAS LÀ !!

QUELLE CHANCE !!

NON, IMPOSSIBLE.

HEIN ? QU'EST-CE QUI EST IMPOSSIBLE ?

... RENDEZ-VOUS AU PLUS VITE AUPRÈS DU CHEF DU VILLAGE, S'IL VOUS PLAÎT !!

VOTRE SABRE EST AUSSI À L'INTÉRIEUR, MESSIRE TOKITO !! PRENEZ-LE ET...

HYOP !

FRUSH

MAIS AÏE ! VOUS M'ÉNER-VEZ !!

GWIP

GAH !

IL ARRIVE.

Chapitre **111**

Des airs d'artiste

M'ACCOR-DEREZ-VOUS UN INSTANT AVANT QUE JE NE VOUS TUE ?

HYO ! HYO !

ENCHANTÉ DE FAIRE VOTRE CONNAISSANCE, JE ME NOMME GYOKKO.

*OEIL SUR LE FRONT : LUNE SUPÉRIEURE, OEIL DANS LA BOUCHE : 5ᵉ

CHERS INVITÉS, JE SERAIS HONORÉ CE SOIR QUE VOUS JETIEZ UN OEIL À MA CRÉATION !

REGARDEZ PAR ICI, S'IL VOUS PLAÎT !

QU'EST-CE QUE VOUS RACONTEZ ?

VOTRE CRÉA-TION ?

... DONT TOUT LE MONDE SE CONTRE-FICHE.

... DES VIES SANS IMPORTANCE...

QUI ME L'A DIT ?

J'AI L'IMPRESSION QU'ON M'A DIT LA MÊME CHOSE, IL Y A LONG-TEMPS.

QUI ÉTAIT-CE ? IMPOSSIBLE DE ME SOUVENIR.

LA PORTE ÉTAIT OUVERTE... EST-CE PARCE QU'IL FAISAIT CHAUD ? MÊME LA NUIT VENUE, LES CIGALES FAISAIENT UN BRUIT INFER-NAL.

IL FAISAIT CHAUD.

C'ÉTAIT L'ÉTÉ.

QUELLE ŒUVRE VAIS-JE BIEN POUVOIR CRÉER AVEC VOUS ? J'EN AI LE CŒUR QUI BAT D'EXCI-TATION !

MAIS VOUS ÊTES TOUT DE MÊME UN PILIER...

HYO ! HYO !

~ MEA CULPA (1) ~

À PROPOS DU BONUS DU TOME SEPT

FAUX →

NAHO TAKADA   KIYO TERAUCHI   SUMI NAKAHARA

C'EST CE QUE J'AVAIS ÉCRIT...

VRAI →

SUMI NAKAHARA   KIYO TERAUCHI   NAHO TAKADA

PAR-DON !

J'AI INVERSÉ LES NOMS. ELLES ME JETTENT DES REGARDS NOIRS.

... MAIS Ç'AURAIT DÛ ÊTRE ÇA.

Chapitre 112 Transitions

* MERCI ** À TOUS

~ MEA CULPA (2) ~

À L'ORIGINE, L'ILLUSTRATION COULEUR EN TÊTE
DE CE CHAPITRE FAISAIT L'ANNONCE OFFICIELLE DE
L'ADAPTATION EN ANIME DE LA SÉRIE, ALORS CETTE
SCÈNE DE FÊTE JUSTE APRÈS L'ATTAQUE DU VILLAGE
RISQUE DE PRÊTER À CONFUSION POUR LES GENS
QUI ACHÈTENT DIRECTEMENT LE TOME RELIÉ*.
JE VOUS FAIS MES EXCUSES.
IL Y AVAIT TOUTES CES ACCROCHES DU STYLE
« HOURRA POUR L'ADAPTATION EN DESSIN ANIMÉ »
ET SANS ELLES, ON DIRAIT QUE TANJIRO ET LES
POURFENDEURS SE RÉJOUISSENT DE L'ATTAQUE
ENNEMIE COMME S'ILS ÉTAIENT AMIS AVEC LES
DÉMONS... MAIS C'EST JUSTE UNE REGRETTABLE
ERREUR DE L'ARTISTE, MERCI DE VOTRE
INDULGENCE.

ON EST
ATTAQUÉS
PAR LES
LUNES SU-
PÉRIEURES,
C'EST DUR.

PARDON !

*NDT : PAR OPPOSITION À CEUX QUI SUIVENT LA PRÉPUBLICATION
CHAPITRE PAR CHAPITRE DANS LE MAGAZINE WEEKLY SHONEN JUMP.

BABWOOOSH

ELLE EST SI FORTE...

RAPI-DE !

ELLE EST SI MIGNONNE QUE J'EN AVAIS OUBLIÉ À QUEL POINT LES PILIERS SONT FORTS...

WOOOOH, UN PILIER EST AR-RIVÉ !

INCROYA-BLE !!

CH...

CHEF...

AVEC ÇA, ILS AURONT DU MAL À TROUVER OÙ SE CACHER.

KÂ ! KÂ ! KÂ ! ÇA A BIEN DÉGAGÉ LA VUE !

GWIP

JE VAIS POUSSER LES DÉBRIS !

NEZUKO, ARRÊTE, TU VAS TE COUPER LES DOIGTS !!

NEZUKO, ÇA VA ALLER, JE NE T'ABANDONNERAI PAS !

LÂCHE MON SABRE !

TOUS CES DÉBRIS ...!!

OH, NON !!

ZUM

NEZUKO, ARRÊTE !!

ZUM

TANJIRO A DE PLUS EN PLUS DE CORRESPONDANTS

LE FRÈRE CADET
DE RENGOKU

SON MAÎTRE

DEPUIS LA MISSION
AU QUARTIER DES
PLAISIRS

CELUI QUI
NE RÉPOND
JAMAIS

SENJURO

UROKODAKI

LES FILLES

TOMIOKA

UZUI QUI
A PRIS SA
RETRAITE

« IL DEVIENT ROUGE ! »

MALGRÉ TOUT, MON SABRE EST DEVENU COMME LE SIEN.

... LE PROCESSUS DOIT ÊTRE DIFFÉRENT DE CELUI DE CE GUERRIER.

PUISQUE MON SABRE EST DEVENU ROUGE GRÂCE AU POUVOIR DU SANG DE NEZUKO...

MAIS À CHAQUE FOIS, QUELQU'UN VIENT À MON AIDE ET LIE SA VIE À LA MIENNE.

MON CORPS FINIT COUVERT DE BLESSURES ET JE SUIS À DEUX DOIGTS DE M'EFFONDRER.

CHAQUE FOIS QUE JE ME SENS PLUS FORT, LES DÉMONS LE SONT ENCORE PLUS QUE MOI...

JE DOIS ÊTRE À LA HAUTEUR.

VAINCRE LES DÉMONS ET PROTÉGER LA VIE DES HUMAINS.

TOUS CEUX QUI ME PRÊTENT MAIN FORTE N'ONT QU'UN SOUHAIT...

... SENTI-MENT...

... UN SEUL...

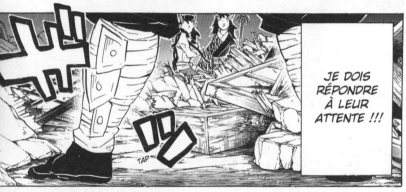

JE DOIS RÉPONDRE À LEUR ATTENTE !!!

TAP

TU PEUX ME COUPER TANT QUE TU VEUX, ÇA NE ME FAIT NI CHAUD NI FROID !

CE N'EST PAS AVEC DES TOURS DE PASSE-PASSE QUE TU ME BATTRAS !

LEURS VISAGES SE SUPER-POSENT.

SON
VISAGE, ON
DIRAIT
PRESQUE
UN...

?!
?!
?!

C'EST
GENYA
?!

GAAAAAH
!!

NOS ATTAQUES CONTRE CE DÉMON DES ÉMOTIONS PRIMAIRES NE SERVENT PAS À GRAND-CHOSE.

MÊME EN DÉCAPITANT LES QUATRE AVATARS EN MÊME TEMPS, ON NE POURRA PAS VAINCRE CE DÉMON COMME GYUTARO ET DAKI !!

GWIP

EST-IL POSSIBLE QUE SA TÊTE NE SOIT PAS SON POINT FAIBLE ?

NEZU-KO !

CRRAC

DEPUIS LE DÉBUT, JE SENS QUE QUELQUE CHOSE CLOCHE.

JE DOIS LE TROU-VER...

IL Y A UN CINQUIÈME AVATAR !!

... L'ODEUR D'UN CINQUIÈME AVATAR !!

CE QUI ME FAIT DOUTER, C'EST CETTE ODEUR QUE J'AI SEN-TIE PENDANT UNE FRACTION DE SECONDE.

LA TÊTE DU CINQUIÈME DÉMON EST SÛREMENT...

OUI. C'ÉTAIT ...

C'EST MOI QUI DEVIENDRAI UN PILIER !!!

KOFF !

GENYA !! TU BAVES !

QU'EST-CE QUI T'ARRIVE ?! EN PLUS, TU M'ÉTRANGLES !!

ON VA TOUS FAIRE DE NOTRE MIEUX !!

BIEN SÛR !! D'ACCORD, C'EST COMPRIS !! NEZUKO ET MOI, ON T'AIDERA DE TOUTES NOS FORCES !!

TU VEUX QUE JE BAISSE MA GARDE POUR...

JE SAIS CE QUE TU CHERCHES À FAIRE !

...

IL Y A SÛREMENT UN CINQUIÈME AVATAR. JE VAIS LE CHERCHER, ALORS ESSAIE DE GAGNER DU TEMPS !!

REGARD PUR ET LIMPIDE SANS LA MOINDRE OMBRE →

CLING
CLING

SUYAKO, L'ÉPOUSE DE SUMIYOSHI, L'ANCÊTRE DE TANJIRO. IL PARAÎT QUE C'ÉTAIT UNE GROSSE DORMEUSE.

ÇA VA ALLER ?

JE ME SUIS ENCORE ENDORMIE AU BORD DE LA ROUTE.

HA HA HA

SLASH

... QUAND ON L'A REN-CONTRÉ, IL ÉTAIT DÉJÀ PLUS DOUÉ QUE CE QUE NOUS AVAIT DIT NOTRE SEIGNEUR...

NON, EN VÉRITÉ...

CET ENFANT...

...EST BEAUCOUP PLUS RAPIDE QUE TOUT À L'HEURE.

SHIING

MINCE ! J'AI PERDU TROP DE TEMPS !

JE NE PEUX PAS L'ÉVITER. JE SUIS FOUTU, MA TÊTE NE PEUT PAS SE RÉGÉNÉRER.

MON FRÈRE.

*TUER

ET JE VOULAIS LUI DEMANDER PARDON...

JE VOULAIS DEVENIR UN PILIER...

... POUR QUE MON FRÈRE M'ACCEPTE.

... POUR CE QUI S'EST PASSÉ "CE JOUR-LÀ".

COLLÈGE ET LYCÉE... ☆ VOICI L'ÉCOLE DES POURFENDEURS DE DÉMONS !!

LE FRÈRE ET LA SŒUR SHABANA. LES PIRES VOYOUS
DE L'ÉCOLE. ILS PASSENT LEUR TEMPS À PROVOQUER DES
BAGARRES ET SE PRENNENT SOUVENT LA TÊTE AVEC TANJIRO.
UME, LA SŒUR CADETTE, EST SI BELLE QU'ELLE A BEAUCOUP DE
PRÉTENDANTS ET CROULE SOUS LES CADEAUX. SON RECORD : VINGT
GARÇONS LUI ONT FAIT UNE DÉCLARATION D'AMOUR EN UNE SEULE JOURNÉE.
C'EST L'UNE DES TROIS PLUS BELLES FILLES DE L'ÉCOLE.

UME SHABANA
(16 ANS)

GYUTARO
SHABANA
(18 ANS)

MA MÈRE ÉTAIT TOUTE PETITE.

JE SUIS TRÈS VITE DEVENU PLUS GRAND QU'ELLE.

Chapitre 115 Devenir un pilier

MON PÈRE NOUS BATTAIT SOUVENT, NOTRE MÈRE ET NOUS.

SI LES GENS LE DÉTESTAIENT ET S'IL A FINI MORT POIGNARDÉ, C'EST PARCE QU'IL L'AVAIT BIEN CHERCHÉ.

MON PÈRE, EN PLUS D'ÊTRE TRÈS GRAND, ÉTAIT UN BON À RIEN.

MA MÈRE TRAVAILLAIT DU MATIN AU SOIR.

JE LA TROUVAIS INCROYABLE.

NOTRE MÈRE NOUS PROTÉGEAIT CONTRE CE MONSTRE, AVEC SON TOUT PETIT CORPS, SANS JAMAIS RECULER.

JE NE L'AI JAMAIS VUE DORMIR.

SHUYA, HIROSHI, TEIKO ET SUMI DEVENAIENT DE PLUS EN PLUS FROIDS ET NE RÉPONDAIENT PLUS...

CE NE SONT QUE DES EXCUSES, MAIS...

... J'ÉTAIS SOUS LE CHOC.

... QU'ILS ÉTAIENT MORTS.

J'AI COMPRIS QUE C'ÉTAIT FINI...

... C'ÉTAIT MAMAN TRANSFORMÉE EN DÉMON.

CE QUE J'AVAIS PRIS POUR UN LOUP...

CE LOUP ...

... ET QU'IL A RÉALISÉ QUE C'ÉTAIT NOTRE MÈRE QUI AVAIT ATTAQUÉ NOTRE FAMILLE...

... LORSQU'IL EST ALLÉ DEHORS ALORS QUE LE JOUR COMMENÇAIT À SE LEVER...

APRÈS S'ÊTRE BATTU POUR NOUS PROTÉGER...

... QU'EST-CE QUE MON FRÈRE A BIEN PU RESSENTIR ?

... QU'EST-CE QU'IL A BIEN PU RESSENTIR EN ENTENDANT CE PETIT FRÈRE QU'IL AVAIT PROTÉGÉ DE TOUTES SES FORCES, L'INSULTER ET LE TRAITER D'ASSASSIN ?

... ALORS QU'IL DEVAIT ÊTRE À L'AGONIE...

APRÈS AVOIR TUÉ DE SES MAINS NOTRE MÈRE ADORÉE...

GENYA...

DIRE QU'ON VENAIT JUSTE DE SE PROMETTRE DE LA PROTÉGER ENSEMBLE.

DIS PLUTÔT QU'ON VA "CONTINUER À" LES PROTÉGER.

NON ?

PFF !

... ACCOMPAGNÉ PAR LE SOUVENIR...

... DE CET INSTANT OÙ TU M'AS SOURI.

PARDON, SANEMI !

JE VAIS MOURIR SANS AVOIR PU TE FAIRE D'EXCUSES...

JE NE DEVIENDRAI JAMAIS UN PILIER.

JE N'AVAIS AUCUN TALENT, MON FRÈRE.

JE NE PEUX MÊME PAS UTILISER LE SOUFFLE.

J'AI FAIT DE MON MIEUX MAIS ÇA N'AURA SERVI À RIEN.

IL FAUT POURTANT QUE J'EN DEVIENNE UN SI JE VEUX POUVOIR RENCONTRER LES AUTRES PILIERS.

*TUER

QUITTE LES POUR-FENDEURS DE DÉMONS !

UN MINABLE COMME TOI...

... N'EST PAS MON FRÈRE.

... GENYA SHINAZU-GAWA ?!

TU NE VEUX PAS DEVENIR UN PILIER...

MINCE, DERRIÈRE...!

GENYA !!

POUR CETTE FOIS, JE TE LAISSE LE COUP DE GRÂCE.

JE NE PEUX PAS LUI COUPER LA TÊTE.

TOI, FAIS-LE !

Scénario et dessin
KOYOHARU GOTOUGE

Traduction
XAVIÈRE DAUMARIE

Lettrage
MONICA ROSSI

KIMETSU NO YAIBA © 2016 by Koyoharu Gotouge. All rights reserved. First published in Japan in 2016 by SHUEISHA Inc., Tokyo.
French translation rights in France and French-speaking Belgium, Luxembourg, Switzerland and Canada arranged by SHUEISHA Inc.
through VME PLB SAS, France.
Pour l'édition française : Panini France S.A. - Nice La Plaine, Bât. C2, Avenue Emmanuel Pontremoli, 06200 Nice.
ISBN : 978-2-8094-9161-6
Dépôt légal : **novembre 2020**
Achevé d'imprimer en **Italie** en **octobre 2020** par **L.E.G.O. S.p.A.**
Via Galileo Galilei, 11 - 38015 Lavis (TN).
Code produit : **FDESL013**

www.paninimanga.fr

MIX
Paper from
responsible sources
FSC® C115044